LA VIE SEXUELLE

pour les 10 / 13 ans

Docteur Gilbert Tordjman

Diplômé d'études de pédiatrie et de gynécologie
Président de l'Association mondiale de sexologie
Secrétaire général de la Société française de sexologie clinique

et

Claude Morand

illustrations

de Urs Landis

nathan

Les premiers émois amoureux

Catherine vient passer dix jours de vacances en famille. Elle n'a pas vu son jeune frère Michel et sa petite sœur Irène depuis longtemps. Ils sont bronzés, un peu hirsutes, et ont beaucoup grandi. Michel surtout. A treize ans, on change. En quelques mois... Mais il y a autre chose : toute la famille a un drôle d'air !

Quelques heures plus tard, Catherine ne se pose plus de question, elle a compris : Michel est simplement amoureux. Et l'amour, c'est terrible, la première fois...

Michel n'est plus disponible pour personne, pas même pour sa petite sœur Irène qui boude dans son coin. Michel ne quitte plus Patricia... Patricia a envie de se baigner ? Lui aussi. Elle a soif ? Lui aussi. Elle se fait bronzer derrière un rocher ? Lui aussi.

Il a des accès de nervosité, puis de mutisme, puis de jubilation. Il passe d'un état à l'autre, très vite !

Les repas familiaux deviennent une corvée pour tout le monde. Catherine réprime un fou rire : Michel vient de renverser un plat, de se cogner, de jurer, de prendre un air de martyr, et maintenant il boude, comme

Irène... Les parents haussent les épaules, sans être tout à fait résignés.

— Il est devenu complètement idiot ! explique Irène. Il est fou de Patricia. Qu'est-ce qu'il lui trouve ? Elle est grande et maigre, c'est tout !

— Elle nage bien, peut-être ? répond Catherine, moqueuse.

— Tu sais ce qu'ils font dans la mer ? Ils s'embrassent ! C'est dégoûtant !

— Mais non, ce n'est pas dégoûtant !

— Si. Il passe ses journées avec elle. Il dit qu'il est trop grand pour jouer avec moi.

— Tu ne serais pas un peu jalouse de Patricia ?

— Moi ?

Le souffle coupé par tant d'injustice, Irène tourne les talons et court se faire consoler par son père...

Plus tard, Catherine s'arrange pour être seule avec son frère quelques instants.

— Je te dois un cadeau d'anniversaire, dit-elle. J'étais en examen et j'avoue que j'ai oublié. Tiens, achète ce que tu veux...

Michel grogne un merci. Il n'a pas compris le stratagème de Catherine, qui désirait seulement lui donner un peu d'argent de poche supplémentaire.

Elle sourira, la grande sœur, en apercevant son frère et Patricia attablés à la terrasse du glacier... Les deux adolescents se disent des secrets, penchés l'un vers l'autre, terriblement absorbés par leur conversation.

Un grain de sable, les premiers émois d'un enfant qui devient un homme, et les vacances sont presque gâchées. Catherine ne parvient pas à calmer la jalousie d'Irène.

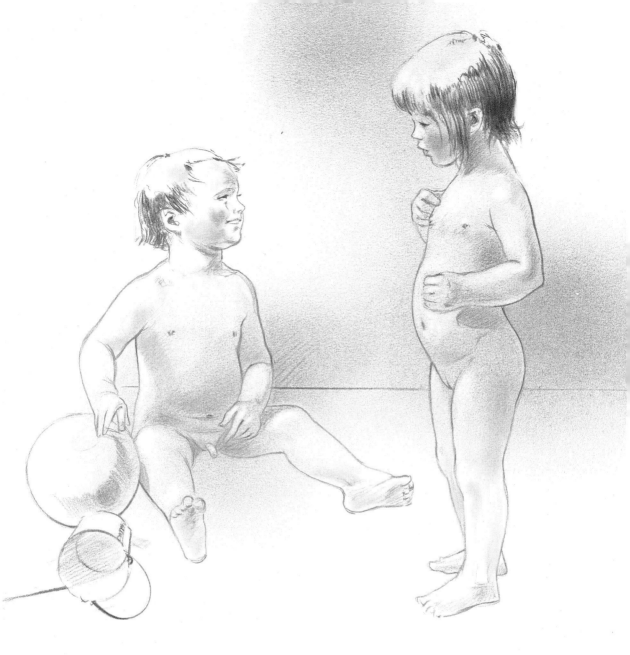

Impossible de taquiner Michel… Quant aux parents, ils sont là en spectateurs de moins en moins patients. L'autre soir, papa a haussé le ton :

— Arrête de faire cette tête, Michel ! Tu es insupportable. Ou tu te calmes, ou tu vas dans ta chambre, compris ?

Michel est sorti de table pour aller s'enfermer dans sa chambre en claquant la porte. Mais, le lendemain, il a guetté son père sur la plage. Il lisait un livre, seul. Michel est venu s'asseoir à ses côtés.

Devant eux, des petits enfants se roulent dans une flaque de boue. D'autres mangent du sable ou sucent leurs jouets. Un petit garçon touche ses organes sexuels.

— Ils sont drôlement libres de faire de qu'ils veulent, eux ! dit Michel. Ils ne savent pas que, plus tard, on leur interdira « tout ça ». Encore quelques mois d'accalmie, et on va leur apprendre ce qui est bien, ou mal ! Ça, ils ne s'en doutent pas.

Son père lui jette un petit coup d'œil en coin.

5

— Qu'est-ce qui est bien ou mal ? C'est à toi d'y réfléchir tout seul, maintenant, répond-il, et sans te mettre en colère contre toi !

— Je m'excuse, pour hier soir...

— N'en parlons plus.

Devant eux, les bébés — des bébés filles et des bébés garçons — continuent d'être très intéressés par leur sexe.

— Tu vois, dit papa, c'est un besoin vital de toucher et d'être touché par l'autre.

Après un silence, Michel avoue :

— Je me sens tout le temps surveillé, je ne suis pas libre.

— Avec Patricia ?

— Non ! Avec Patricia, je suis libre !

Michel a presque crié. Puis il s'est calmé soudainement. Pourquoi ne pas profiter de ce tête-à-tête avec son père pour lui parler de ces émotions étranges qui le traversent, quand il est seul avec Patricia ? Il éprouve,

sans bien comprendre, des sensations de trouble, de désarroi, des frissons...

Papa écoute. Il répond en évoquant l'instinct qui pousse chacun et chacune à rechercher la chaleur et l'intimité d'un autre corps. Il prononce le mot « sensibilité ».

— J'aime regarder Patricia, l'écouter parler ou rire, mais j'aime aussi l'embrasser, la toucher, la respirer...

— Tu l'aimes avec tes cinq sens ; c'est cela, la sensualité.

— C'est mal ?

— Non, mon grand. Sois seulement très attentif à ne pas la blesser, soit par des paroles, soit par des actes. Il faut traiter l'autre avec les mêmes égards que ceux que l'on souhaite pour soi-même...

A partir de cette petite conversation, le comportement de Michel a changé. Ses confidences et les réactions apaisantes de son père l'ont rassuré. Il a pris l'habitude de bavarder avec papa, au hasard de rendez-vous improvisés.

De son côté, Catherine a tenté de consoler Irène :

— Patricia ne te prend pas ton frère, essaye de comprendre cela ! lui a-t-elle dit. Michel t'aime comme avant. La présence de Patricia, c'est du bonheur en plus... Ne le lui gâche pas !

— Il se prend pour un homme !

— Il est presque devenu un homme...

Cela, Irène, du haut de ses dix ans, refuse catégoriquement de l'admettre.

Michel et Patricia profitent des derniers jours de vacances. Ils sont visiblement charmés (et charmants !), mais la mélancolie s'installe entre eux. Patricia n'habite pas la même ville que Michel, et leur séparation est inéluctable...

En observant Irène qui se réfugie dans un mépris morose, maman dit à Catherine :

— C'est étrange comme un incident banal, un enfant amoureux, peut bouleverser la vie familiale, non ?

— Tu as oublié mon premier flirt, maman ? répond Catherine, surprise. Il avait déjà, pourtant, provoqué quelques remous...

— C'est vrai ? Mais tout est différent puisque Michel se confie un peu à son père...

— Alors, essaye, toi aussi, de communiquer avec lui. Et n'oublie pas Irène !

Catherine partie, les parents pressentent que la rentrée sera, cette année, un moment important. Le temps des questions est venu. Il faudra répondre aux enfants et même provoquer leur curiosité... La sexualité est un sujet délicat à aborder en famille.

La soif de connaissance

De grands changements attendent Michel et Irène, au retour des vacances.

Michel entre dans une classe supérieure, réputée difficile ; nouveaux amis, nouveaux professeurs en perspective. Il s'est d'abord senti abattu et triste, orphelin de Patricia. Puis l'excitation de la rentrée scolaire a balayé son chagrin... si vite qu'il s'en est étonné, en l'avouant à son père.

Irène, elle, est entrée au lycée, et c'est aussi une sorte de « coup de foudre » ! Pendant quelques semaines, elle raconte à la maison tout ce qui s'y passe. Elle décrit les professeurs, les élèves, n'épargnant aucun détail, aucune anecdote. Sa famille doit vivre à son

rythme et il est épuisant. Elle se conduit comme un champion préparant les jeux Olympiques ! Elle veut gagner et être la première en tout. Sa nervosité croît à l'approche des premières interrogations écrites, des premiers contrôles. Irène attend son triomphe... Mais elle a trop présumé d'elle-même et ses résultats la déçoivent.

— C'est injuste ! dit-elle à sa mère, le regard noir.

— Tu m'as drôlement épatée ! répond maman. Si ! Tu as fait d'énormes progrès, en tout !

— Les professeurs ne m'aiment pas et les autres sont jaloux !

— Mais non...

— Si ! Et je n'ai pas eu de chance en anglais ! J'avais compris la version, c'était le plus important, non ?

— Mais oui... Mange ton fruit.

— Je n'ai pas faim !

— J'ai dit : mange, Irène ! Je t'en prie, écoute-moi. Tu ne dois pas être contrariée à ce point. L'essentiel est de faire de ton mieux.

La mère d'Irène découvre peu à peu la curiosité et la soif de connaissances de sa fille : elles paraissent insatiables.

Un soir, la petite fille revient avec un nouveau mot à la bouche : « génétique ». La génétique sera au programme le prochain trimestre : elle veut tout savoir avant ses camarades !

— Avant ton professeur aussi ? se moque maman.

— Il me faut un microscope ! Ce sera plus facile pour comprendre, c'est Michel qui me l'a dit. Il utilisait celui de Catherine, mais elle l'a emporté...

— Téléphone-lui et demande-lui de te le prêter, répond maman, pas fâchée d'en profiter elle aussi.

Catherine a apporté le microscope, et l'étudiante en médecine s'est bien amusée en donnant un cours de génétique à sa famille !

A partir d'une cellule de plante, tous observent les points verts de la chlorophylle, à l'intérieur du protoplasme ; puis se passionnent pour l'histoire magique de la cellule, du protoplasme et du noyau.

— La grande surprise, c'est qu'à l'intérieur de chaque noyau il existe des chromosomes. Ce sont des sortes de petits fils invisibles, sur lesquels sont disposées des particules que l'on appelle les gènes.

Sur ces gènes, poursuit Catherine, sont inscrits les « caractères » que nous héritons de nos parents. C'est cela, la génétique, Irène...

LA CELLULE

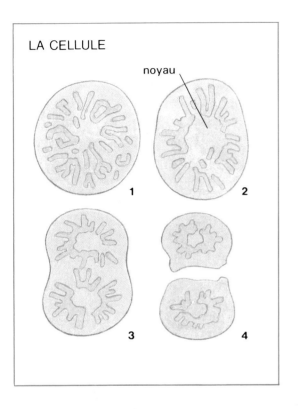

noyau

1   2

3   4

Comme cette cellule végétale, certains êtres vivants, tels l'amibe et l'infusoire, ne sont constitués que d'une seule cellule. Cette cellule comprend au centre un gros noyau entouré d'un protoplasme. Elle se reproduit en se scindant en deux cellules filles identiques.

Au contraire, dans l'espèce humaine, la reproduction exige la rencontre d'une grosse cellule ronde produite par la femme : l'ovule, et d'une cellule à l'aspect de têtard, très mobile, sécrétée par l'homme : le spermatozoïde.

LE SPERMATOZOÏDE AVEC SES 3 CONSTITUANTS:

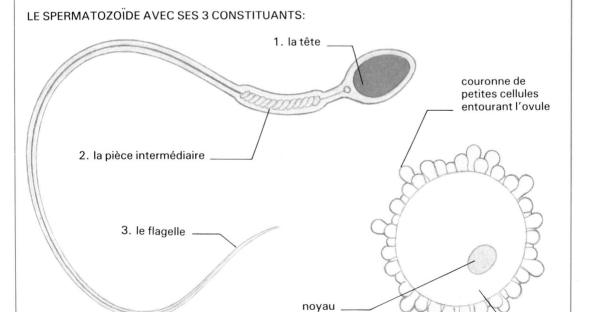

1. la tête

couronne de petites cellules entourant l'ovule

2. la pièce intermédiaire

3. le flagelle

noyau

L'OVULE

ovule

9

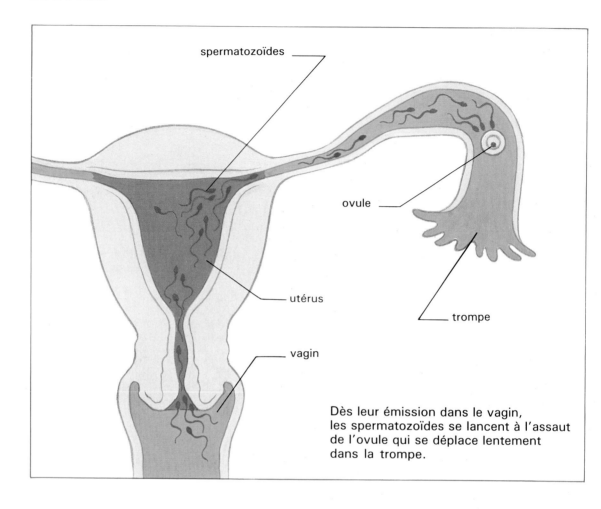

spermatozoïdes

ovule

utérus

trompe

vagin

Dès leur émission dans le vagin,
les spermatozoïdes se lancent à l'assaut
de l'ovule qui se déplace lentement
dans la trompe.

— Elle est la même pour les végétaux, les animaux et nous ?

— Oui. Mais il faut savoir qu'une cellule de chien, par exemple, ne peut reproduire qu'une cellule de chien. De même, une cellule humaine ne peut reproduire qu'une cellule de femme ou d'homme... Nous héritons tous des gènes de notre mère et de notre père, moitié-moitié. Ce sont eux qui décident de la couleur de nos yeux !

— Michel a les yeux bleus, et moi, marron !

— Tu as remarqué cela ? dit Catherine en éclatant de rire. Oui, chacun de nous est une mosaïque composée d'un mélange original des caractéristiques de nos parents.

— Moi, je connais le nom des cellules reproductrices ! dit Michel, plutôt fier... L'ovule est la cellule reproductrice de la femme, et le spermatozoïde est celle de l'homme ! Aucune d'elles ne peut se diviser pour donner naissance à une nouvelle cellule, mais j'ignore pourquoi. Peux-tu nous l'expliquer ?

— Les cellules reproductrices humaines sont très particulières, répond Catherine. Chacune d'elles, l'ovule et le spermatozoïde, a besoin de s'unir à l'autre pour former un œuf. La division et la multiplication de cet œuf en millions et millions de cellules est à l'origine d'un fœtus, c'est-à-dire d'un bébé…

Dès le lendemain, Irène a parlé de la génétique à ses camarades. Elle s'est imposée, à la récréation, comme une fille drôlement savante…

Irène aurait bien voulu que, chaque dimanche, Catherine donne sa leçon particulière. Mais elle a refusé, et maman l'a approuvée.

— Irène, tu dois respecter le temps de travail, celui du sommeil et celui du jeu. C'est important pour ton équilibre !

Et nous aussi, nous avons besoin de détente !

— Et moi donc ! a dit Catherine en riant.

— Et moi ! a crié Michel en faisant une grimace à sa petite sœur.

Toute la famille a souri…

Le monde des copains

Michel taquine souvent Irène, la traitant de « grosse tête ». Pourtant, lui aussi a cherché à se faire reconnaître par ses professeurs et ses camarades.

Il y est parvenu et fait maintenant partie d'une petite bande de copains. Rien que des garçons. Il se sent bien, il est intégré à un groupe.

Parfois son père passe devant le lycée, au moment de la sortie des élèves. Il a bien du mal à reconnaître son fils ! Michel s'habille exactement comme ses copains : même chemise, même blouson, même jean, mêmes baskets... Il se fait aussi couper les cheveux exactement comme Marc, le chef de la bande. Son père le supporte mal.

— Quel manque de personnalité ! dit-il, agacé.

— Laisse-le faire... Il en a besoin ! répond maman, amusée par cette réflexion. Pour devenir original, il doit d'abord imiter les autres, non ?

Michel admire beaucoup Marc. Il est plus grand que lui, plus sportif. C'est aussi le meilleur élève. Il lui reconnaît donc le droit d'être le chef, même s'il rêve de lui ravir cette place...

Avec Marc, Michel oublie sa timidité. Il ose exprimer devant lui ses pensées les plus secrètes : ses doutes, ses craintes devant les filles. Il lui a aussi longuement parlé de son chagrin d'amour. Marc, pour le distraire, lui a vanté le charme d'une autre camarade de classe. Mais cette autre fille, trop coquette, a fait peur à Michel. Il n'a pas osé faire sa conquête, prétextant vouloir être l'unique élu, sans partage.

Peu à peu, Michel a remplacé son discours sur l'amour par des commentaires sans fin sur les émissions de télévision, le cinéma, les livres et les bandes dessinées. Marc et lui s'inventent des rôles. Ce sont les derniers grands jeux avant l'adolescence. Ils osent encore, comme des enfants, endosser des personnalités qui les fascinent : agents secrets, savants un peu fous, aventuriers, extraterrestres...

Ils peuvent jouer à être quelqu'un d'autre, pendant plusieurs jours ! Toujours en tête-à-tête, jamais devant les autres garçons de la bande, et surtout pas devant Paul, qui se moquerait cruellement d'eux.

Paul les impressionne. Il a la voix très grave, les épaules larges, un peu de moustache. Il prétend avoir déjà fait l'amour avec plusieurs filles.

— Jusqu'au bout ? dit Michel.

— Tu as pu éjaculer du sperme ? demande Marc.

— Évidemment !

— Cela t'a fait mal ? insiste Michel.

— Mal ? C'est plutôt toi qui me fais mal avec tes questions ! Tu n'es qu'un gamin... Michel ne se vexe pas et confie à ses amis que tout tourne autour de lui, quand il a une érection. Marc explique à son tour qu'il a une sensation de vertige. Paul se souvient que, lui aussi, il y a quelques mois, il avait peur de s'évanouir.

Les trois garçons ont naturellement parlé de la masturbation — un sujet controversé, qui les intéresse et les trouble. Combien de fois peut-on se masturber au cours d'une journée ? Est-ce que cela arrête la croissance ou

L'ÉRECTION

L'érection du pénis, chez le garçon qui n'est pas encore pubère, ne s'accompagne pas habituellement d'éjaculation. Elle peut conduire à un « pic du plaisir » qui provoque un étourdissement dû à l'accélération du rythme cardiaque.

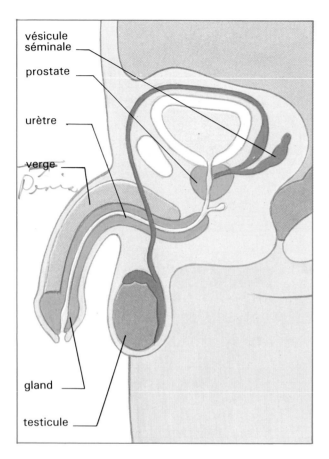

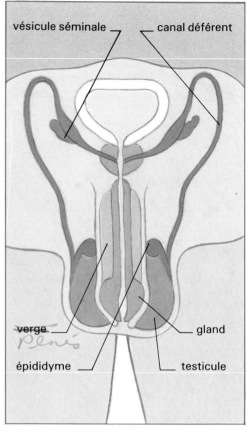

vus de profil et de face, au repos.

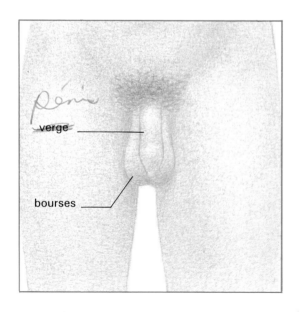

empêche d'avoir des enfants ? Est-ce que le pénis risque de se développer anormalement ? Est-ce que les filles se masturbent aussi ? Doit-on se sentir coupable ?

Paul a dit qu'il se masturbait souvent, seul et en groupe. Michel et Marc ont été choqués. Paul a raconté qu'une fois il y avait une fille qui ne voulait pas faire l'amour — seulement se caresser en regardant des garçons en faire autant. Il a ajouté que cela leur avait fait plaisir à tous. Michel et Marc n'ont pas su quoi répondre.

D'un commun accord, les trois garçons ont préféré changer de sujet de conversation et se sont raconté un film...

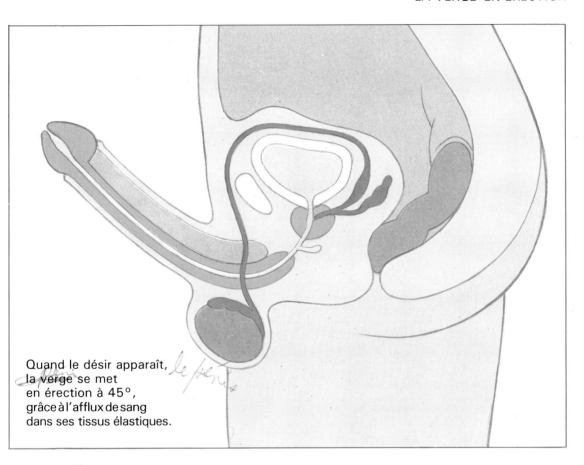

Quand le désir apparaît, la verge se met en érection à 45°, grâce à l'afflux de sang dans ses tissus élastiques.

LA MASTURBATION

Les jeux sexuels et l'initiation à la masturbation font souvent partie de l'apprentissage du plaisir.

Dans le temps, les moralistes prétendaient que la masturbation empoisonnait le corps, affaiblissait la volonté et paralysait le système nerveux...

Des interdits religieux continuent de répandre cette croyance (« Dieu n'aime pas la masturbation car la semence humaine est faite pour procréer ») totalement démentie par les médecins. Caresser ses organes génitaux, sans culpabilité, n'est qu'un aspect de la sexualité avant le passage à l'acte sexuel avec partenaire. C'est un acte naturel qui ne comporte un danger que lorsqu'il devient une obsession. Et l'interdit qui frappe encore la masturbation est le plus sûr moyen de déclencher l'obsession...

La masturbation ne développe pas anormalement le pénis, ni le clitoris, et, bien sûr, n'empêche pas d'avoir des enfants. Elle ne rend ni nain, ni sourd, ni aveugle. Ces racontars ne sont que des superstitions.

Irène et ses amies

Comme son frère, Irène cherche aussi son indépendance au sein d'un groupe. Avec Marie et Sandra, elle a forgé un trio d'amies inséparables. Avec la complicité amusée des parents, elles se retrouvent tantôt chez l'une, tantôt chez l'autre.

Ce sont encore des enfants et elles aiment jouer à la poupée. Elles tricotent et cousent des vêtements pour les habiller exactement comme elles. Mais ce sont aussi des femmes « en herbe »… En cachette, elles adorent se maquiller et se déguiser. Elles s'exercent alors à prendre des pauses provocantes devant les miroirs, oubliant leurs poupées ! Le trio des filles partage les mêmes goûts. Elles ont des idoles — chanteurs, vedettes de cinéma, champions de tennis — dont elles collectionnent les photographies. Elles se racontent plein de secrets qui parfois les font rougir.

Irène a fait une expérience qui l'a beaucoup troublée… Au dernier cours de gymnastique, elle a serré fort les cuisses pour grimper encore plus vite à la corde lisse, et elle a ressenti une sensation inconnue.

— Je n'ai rien compris à ce qui m'arrivait ! dit-elle.

— Moi, c'est en faisant du vélo que j'ai senti cela ! répond Sandra. Je me suis arrêtée et la sensation a passé.

— Vous êtes peut-être malades ? dit Marie. Vous en avez parlé à vos mamans ?

— Non. Je n'ai pas osé.

— Moi non plus, dit Irène.

LES ORGANES GÉNITAUX INTERNES DE LA FEMME

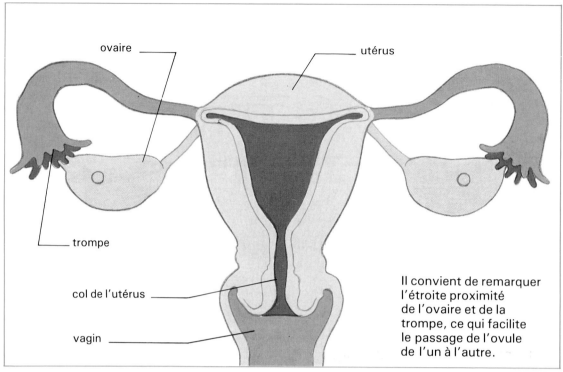

ovaire

utérus

trompe

col de l'utérus

vagin

Il convient de remarquer l'étroite proximité de l'ovaire et de la trompe, ce qui facilite le passage de l'ovule de l'un à l'autre.

vus de face et de profil.

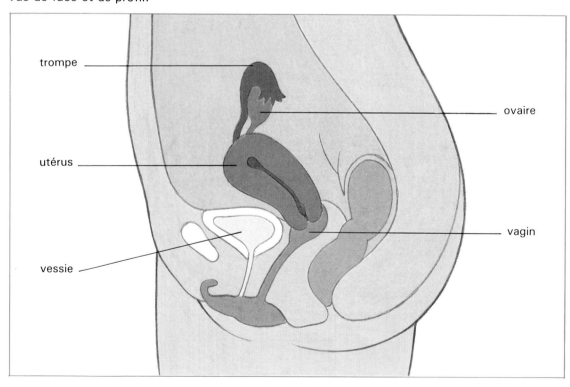

trompe

ovaire

utérus

vagin

vessie

Les organes génitaux externes de la femme se situent entre les cuisses, et en avant de l'anus. Leurs repères essentiels sont, de haut en bas : le clitoris, l'orifice de l'urètre et l'entrée du vagin, à travers l'hymen (membrane qui obstrue partiellement l'orifice vaginal, chez la jeune fille vierge).

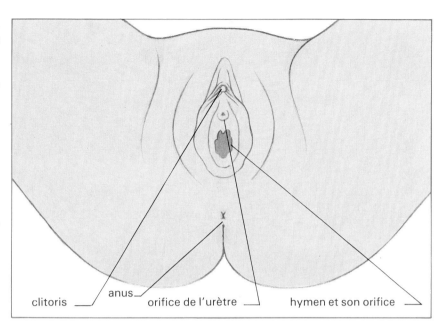

clitoris ___   anus ___   orifice de l'urètre ___   hymen et son orifice ___

— Je pourrais raconter cette histoire à Catherine ? suggère Irène.

— Bonne idée ! dit Sandra. Pose-lui aussi des questions à propos des règles ! Moi, je n'ai que des frères. Entre eux, ils parlent toujours des filles... Ils connaissent plein de choses sur elles. On dirait qu'ils en savent davantage que nous !

Les trois filles se doutent bien que le phénomène des règles sera un signal de maturité. Elles attendent avec impatience le moment où elles deviendront des « grandes filles », tout en ayant une peur affreuse de « saigner entre les jambes »...

Avec l'apparition de leurs premières règles, elles espèrent bien que leurs seins vont se développer, et qu'elles auront enfin des poils comme maman, sous les aisselles et sur le pubis.

— L'autre jour, en classe, Anne a demandé la permission de sortir. Vous savez pourquoi ?

— Non, répondent Irène et Marie.

LE CLITORIS

Irène et Sandra ont ressenti du plaisir en grimpant à la corde ou en faisant du vélo, parce que le clitoris a été excité par le frottement de la corde et par celui de la selle.

A la naissance, les bébés filles ont souvent cet organe sexuel très développé. Plus tard, pour l'apercevoir tout en haut de la vulve, il est nécessaire de séparer les deux petites lèvres. C'est un organe aussi sensible que le pénis des garçons (même s'il est moins « spectaculaire »).

Après la petite enfance, il faut que les filles apprennent à repérer le clitoris, situé au-dessus de l'urètre (par où l'urine s'écoule). Irène et Sandra avaient oublié qu'elles le touchaient quand elles étaient bébés. Pour leur future harmonie sexuelle, l'incident de la corde ou du vélo est important.

— C'est parce qu'elle saignait ! Elle est allée à l'infirmerie, où on lui a donné une petite serviette à mettre dans son slip… Elle m'a dit qu'elle avait eu peur, mais l'infirmière a été très gentille !

— Elle avait mal ?

— Non. Elle se sentait bizarre, toute drôle, c'est tout.

— En tout cas, depuis ce jour-là, elle est devenue terriblement bêcheuse avec nous !

L'amitié entre filles et garçons

Irène et Michel éprouvent autant de peur que d'attirance pour le sexe opposé. Les garçons sortent en bande et c'est tant mieux, disent Irène et ses amies, qui les trouvent grossiers en paroles, fanfarons et négligés…

— Ils ne se lavent pas ! répètent-elles.

— Vous, les filles, vous passez des heures à vous pomponner !

— La coquetterie, ce n'est pas pour les garçons !

Les deux groupes préfèrent, apparemment, s'ignorer.

Pourtant, les filles s'interrogent souvent… Quelle image d'elles les garçons trimballent-ils dans leur tête ? Elles s'inquiètent… Que pensent-ils des jeans ? Préfèrent-ils les jupes ? Quand les seins commencent à pousser, est-ce bien de porter un soutien-gorge ? Peut-être aiment-ils mieux un T-shirt moulant… Et les chaussures ? Avec un petit talon, cela allonge la jambe, non ? Faut-il adopter une façon particulière de marcher, de s'asseoir ?

Comment savoir si les garçons sont gênés, comme elles, devant l'autre sexe ?

Qu'attendent-ils des filles quand elles ne cherchent pas à faire leur conquête ? Et elles, peuvent-elles les séduire et demeurer sur le terrain de l'amitié ?

A ce propos, Irène a raconté à ses amies une anecdote croustillante. Une élève de la classe de Michel lui a confié un message pour son frère. Irène n'a pu s'empêcher de le lire... Il comportait trois mots : JEANNE AIME MICHEL. Irène a bien ri !

Jusqu'à ce jour, Michel avait toujours fait semblant d'ignorer Jeanne, même quand elle lui disait ostensiblement « salut ! » dans les couloirs du lycée ou dans la rue. Intrigué par son message, il lui a parlé dès le lendemain. Jeanne, à quatorze ans, est une surprenante jeune fille...
— Je ne suis pas amoureuse de toi, lui a-t-elle dit d'entrée de jeu, mais c'était la seule solution pour que tu m'adresses la parole, non ?

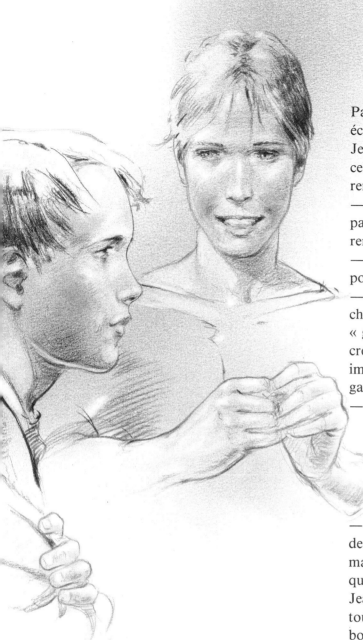

Par la suite, ils sont devenus très amis. Ils échangent leurs idées pendant des heures. Jeanne a toujours une opinion contraire à celle de Michel dès qu'ils abordent les différences entre les filles et les garçons !

— Pourquoi les garçons ne joueraient-ils pas à la poupée ? Ils doivent aussi se préparer à leur rôle de père, non ?

— J'aurais peur d'être ridicule, de passer pour une fille manquée...

— Ah oui ? Je vais te dire une bonne chose : tu ne risques rien. On dit seulement « garçon manqué », parce que les gens croient encore qu'un garçon c'est plus important qu'une fille... Moi, je suis un garçon manqué !

— Toi ? Pas du tout !

— Si ! J'adore grimper aux arbres et faire de la menuiserie, bricoler, construire des maquettes. Je fais du karaté ! Tu vois bien que je suis un garçon manqué...

Jeanne force Michel à remettre en question toutes ses idées conventionnelles et quand, à bout d'arguments, il répète :

— Un garçon est un garçon, une fille est une fille...

Elle lui fait un pied de nez et répond :

— C'est un peu court, jeune homme !

Michel n'a jamais invité Jeanne à sortir avec sa bande. Il sait qu'elle refuserait. Il pressent aussi que les autres garçons seraient mal à l'aise, tout simplement parce qu'ils ne comprendraient rien à leur relation. L'amitié qu'il partage avec Jeanne est un sentiment si précieux qu'il le gardera toujours secret...

Les jours sombres

Ce sentiment d'amitié inattendu avec quelqu'un du sexe opposé n'a pu distraire Michel de son amertume quand il a eu l'impression d'être trahi par ses copains.

Il était gardien de but dans une équipe de football et, avant le dernier match, il a été écarté au profit d'un autre. Michel a ressenti cela comme un échec personnel, et dès lors il s'est refermé sur lui-même et a refusé toutes les sorties avec la bande. Il s'est mis à réfléchir sur sa vie. Il a même fait ressurgir des souvenirs d'enfance. Des punitions oubliées lui sont revenues en mémoire, et le sentiment d'être incompris l'a accablé...

Michel a quelquefois peur qu'il arrive un malheur à ses parents, à ses sœurs. Il se sent alors coupable de mauvais sentiments à leur égard ; il n'a pas encore réussi à étouffer rancunes et désirs de vengeance.

L'angoisse ne se dissipe pas toujours. Il reste un désarroi, une amertume. Il use de stratagèmes enfantins pour s'en défendre. Par exemple, il décide de marcher en zigzag pendant toute une journée, ou bien de laisser traîner le dos de sa main le long des murs, des meubles... Cela ressemble à des formules magiques pour exorciser sa peur, ses doutes.

Comme son frère, Irène souffre de petites misères, qu'elle prend pour des tortures. En classe, à la maison, elle se bat avec les règles de grammaire...

Maman l'aide avec patience ; mais Irène s'est soudain mis en tête que plus elle grandissait, plus elle devenait stupide ! Elle perd peu à peu toute confiance en elle et dans les autres...

— A la récréation, Marie et Sandra me tournent le dos ! dit-elle à sa mère.

Elles tiennent des conciliabules sans moi ! Je ne veux plus leur parler, moi non plus !

— Irène..., soupire maman, va au contraire vers elles, et expliquez-vous une bonne fois pour toutes !

Irène s'aperçoit tout à coup que ses parents peuvent être distraits, fatigués, préoccupés. S'ils ne répondent pas à tout, cela veut dire qu'ils ne savent pas tout ! Parfois, elle pense aussi que leur protection faiblit. Son frère l'évite. Sa grande sœur ne vient plus la voir, prétextant des examens. Bref, la vie n'est plus ce qu'elle espérait.

23

Que faire pour échapper à la réalité qui ne vous satisfait plus ? S'évader dans des rêveries, tout éveillé...

Seuls et chacun pour soi, Irène et Michel s'inventent des histoires personnelles. Le besoin d'une relation affective les conduit à s'imaginer amis intimes d'une idole. Peu importe que ce soit un acteur ou une présentatrice de télévision : tous deux se font du cinéma...

La vie dans le milieu familial

A la maison, les parents sont perplexes. Ils subissent plus qu'ils ne contrôlent les sautes d'humeur des enfants. Hier, en rentrant de son travail, papa a croisé Irène sur le palier. Elle était en compagnie d'un camarade. Papa s'est penché pour embrasser sa fille. Elle l'a brusquement repoussé pour dévaler l'escalier, sans même s'excuser.

— J'ai bien failli la gifler, a dit papa en racontant la scène.

— C'était bien inutile, a répondu maman ; elle regrette déjà son geste, sans même pouvoir se l'expliquer... Ce soir, elle aura tout oublié, tu verras !

En effet. Après le dîner, Irène est allée embrasser son père, tendrement, pour lui souhaiter une bonne nuit...

— J'ai quand même droit à un bisou ?

— Bien sûr, mais pas en public ! Je ne suis plus un bébé et on pourrait se moquer de moi !

— Se moquer de toi ? s'est écriée maman. Mais, moi aussi, j'aime quand ton père m'embrasse, même devant quelqu'un !

— Ce n'est pas la même chose... Tu es sa femme !

Irène ne comprend rien à ses propres réactions. Elle a des élans qui la jettent dans les bras de papa — pour un peu elle réclamerait un câlin sur ses genoux —, et, l'instant d'après, elle s'en veut et le déteste... Plus son père lui manifeste son amour, plus elle se sent coupable et devient agressive.

Elle a besoin de canaliser ses rages froides, et ce n'est sans doute pas un hasard si elle se lance dans des activités violentes. Elle découvre le tennis, mais c'est pour taper sur la balle de toutes ses forces. Si elle fait du vélo, c'est pour avaler, en un temps record, un maximum de kilomètres. Elle voudrait apprendre à boxer... mais papa a refusé tout net ! De plus en plus souvent, Irène provoque son frère dans les batailles au corps à corps. Michel a beau rire, il a parfois du mal à soutenir ses assauts et à avoir le dessus.

Elle lutte avec lui comme si sa vie dépendait vraiment de l'issue du combat. Maman sépare les adversaires en jouant les arbitres. Elle déclare toujours : « match nul !... »

Disputes, réconciliations, rivalités, crises d'opposition à l'autorité parentale, la vie de famille devient chaotique ! Un samedi, Michel a refusé de partir à la campagne pour voir sa grand-mère...

— Je ne comprends plus ! Tu voulais absolument me battre dans une course de fond, non ? a dit papa. Où veux-tu courir, si ce n'est à la campagne ?

— Je te battrai une autre fois, a répondu Michel, buté.

— Pourquoi une autre fois ?

— Parce que les garçons de mon âge ne sont pas obligés de passer tous les dimanches en famille ! J'ai promis à Marc et à Paul de sortir avec eux !

— Tu préfères tes copains ?

Papa s'est fâché. Michel lui a cédé. Il est venu à la campagne. Il n'a pas couru.

Il n'a pas desserré les dents de tout le week-end. Il s'est planté devant le poste de télévision, les sourcils froncés, boudeur. Les parents ont maudit la télévision.

Michel s'est réconcilié avec Marc, depuis sa mise à l'écart du fameux match de football. Tous deux font alliance pour prendre une certaine distance vis-à-vis de leur famille. Ils pensent en terme de « nous », partagent leurs idées, leurs émotions.

Ils s'empruntent des intonations, des attitudes, et même des tics... Chacun cherche dans l'autre la qualité qui lui manque : la confiance en soi, la virilité. Ensemble ils réfléchissent sur la vie, la mort, les copains, l'amour, la sexualité. Ils découvrent qu'il leur manque trop d'informations sur les

LA VÉRITÉ ICI ET LÀ

Les parents oublient très souvent que la télévision n'est pas seulement un refuge pour enfants paresseux. C'est aussi une mappemonde illustrée, où la culture et les mœurs de tous les continents vous sautent au visage ; c'est aussi tout l'imaginaire des habitants de la planète Terre... Les enfants développent leurs connaissances et se créent des modèles fictifs ou réels (les fictifs étant parfois plus réels que les autres...).

Sans se l'avouer, ce que redoutent surtout les parents, c'est que cette ouverture sur le monde modifie le système de valeurs morales de « ces chers petits ». Ceux-ci s'aperçoivent bien, en effet, que la morale de papa et maman n'est pas partagée par tout le monde. Il existe d'autres systèmes religieux, économiques et moraux. Il existe la faim, l'emprisonnement, la torture et l'assassinat. Il existe des superpuissances, avec leur cortège de guerres « à l'essai » qui se font toujours sur le dos des peuples...

Il existe aussi des mœurs sexuelles inimaginables ! Par exemple, on ne s'embrasse jamais dans les films hindous ; dans certaines sociétés (rares, il est vrai), l'inceste n'est pas [un] interdit.

Les règles du jeu imposées par la famille sont-elles immuables ? Peut-on en changer par consentement mutuel ?

problèmes posés par l'apprentissage amoureux dont ils rêvent…

— J'ai décidé de me jeter à l'eau, dit Marc.
Je vais en discuter aves mes parents.

— Moi aussi, promet Michel.

Les angoisses concernant la sexualité

Maman sent depuis longtemps la nécessité
de parler avec ses enfants de leurs craintes
concernant la sexualité. Mais elle préfère
attendre leurs questions plutôt que de les
provoquer. Papa est plus direct et ne mâche
pas ses mots.

— Michel, cesse d'employer l'argot pour
parler de sexe ! Cela impressionne peut-être
tes amis, mais pas moi.

— Je ne voulais pas t'impressionner…, dit
Michel, vexé.

— Mais si, un peu quand même ! Si
j'insiste pour que tu emploies les mots scien-
tifiques, ce n'est pas pour te contrarier.

— C'est pour quoi, alors ?

— Pour pouvoir discuter, communiquer
avec toi. La sexualité n'est pas qu'un sujet
de plaisanterie… Il faut aussi connaître les
mots justes, comme « pénis » et « testicules », par exemple, pour désigner tes organes sexuels. La dérision et les blagues
n'expliquent pas tout, n'est-ce pas ?

— Au lycée, les garçons se moquent de la
circoncision…

— Ils ont tort. C'est une simple opération
chirurgicale ou rituelle. Tes camarades cir-
concis sont juifs, musulmans ou africains
et, pour eux, c'est une coutume liée à des
croyances religieuses, ou une mesure
d'hygiène. Pourquoi en rire ? Parce que tu
n'es pas juif ? Ni musulman, ni africain ?
Avoue que c'est stupide…

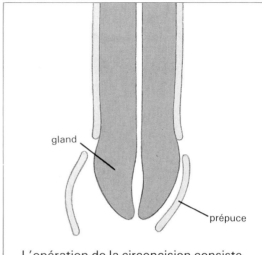

gland

prépuce

L'opération de la circoncision consiste
en l'ablation d'une partie du prépuce,
laissant ainsi le gland à découvert.

— Parfois, je trouve mes copains idiots !
répond Michel. Ils sont toujours à s'inquié-
ter de la taille de leur pénis. Ils font des con-
cours de longueur et de grosseur…

— Si vous constatez tant de différences
entre vous, c'est uniquement parce que le
développement des organes génitaux
n'intervient pas au même moment, chez les
filles comme chez les garçons. Mais la taille
du pénis n'a aucun rapport avec la virilité.
Michel s'enhardit à poser une question
délicate :

— Papa, dis-moi, est-ce que c'est normal
d'être en érection si souvent ? Parfois, je ne
sais plus où me mettre. J'ai l'impression que
tout le monde s'en aperçoit !

— A ton âge, c'est normal, tu peux avoir de
fréquentes érections de nuit comme de jour,
en lisant un roman, au cinéma, en faisant
du sport, en croisant une fille dans la rue,
sous le coup d'une émotion au lycée,
en dormant, etc… La liste des occasions est

longue, ajoute papa en souriant.
Et, calme-toi, ce n'est pas honteux...
— Je peux encore te poser une question ?
Elle ne me concerne pas. C'est au sujet de
Marc. Il dit qu'il dort comme un bébé et
que, pourtant, il se réveille, certaines nuits,
mouillé de sperme. Cela l'embarrasse...
— Cela risque de t'arriver aussi ! répond
son père (qui n'est pas dupe du petit men-
songe de son fils...). L'émission séminale,
c'est-à-dire l'émission de sperme, est un
signe parmi d'autres qui annonce la
puberté. Les médecins américains l'appelle

« rêve humide ». C'est un événement normal qui se produit souvent la nuit, en dormant. L'enfant devient un homme, tout
simplement. Ne sois surtout pas inquiet de
cela.
— Cela ne m'empêchera pas de bien faire
l'amour, plus tard ? Je crois que je n'en suis
pas encore capable... Comment faut-il s'y
prendre ?
— Sois patient. Il n'y a pas de recettes ! Le
savoir-faire ne s'apprend que lentement...
Pour connaître ta sexualité, tes désirs précis, il suffit d'ouvrir tes sens et ton
imagination.
— Mon imagination ? dit Michel, surpris.
— Mais oui. Nous ne sommes pas comme
les petits oiseaux qui, d'instinct, savent faire
l'amour ! Les hommes, les femmes ont
besoin d'un apprentissage de la caresse, dès
leur naissance. Nous en avons déjà parlé.
Ensuite, l'imagination révèle la sensualité
de chacun, à travers les premières expérien-
ces sexuelles. Sais-tu que, chez certaines
peuplades primitives, les enfants assistent
aux ébats de leurs aînés ? Cette initiation
c'est leur apprentissage.
— Oui, mais Paul dit que l'on risque
d'attraper certaines maladies ! Même sans
faire l'amour... Il dit qu'il faut se méfier des
toilettes dans les cinémas, et des verres dans
les cafés ! Il parle aussi mystérieusement des
M.S.T...

Papa a senti une réelle inquiétude chez Michel.
— Les maladies sexuellement transmis-
sibles, désignées par les initiales M.S.T., sont
très déplaisantes et connaissent aujourd'hui
un développement important, c'est vrai.
Mais Paul exagère ! Ce sont des blagues
pour se rendre intéressant. Ces maladies ne

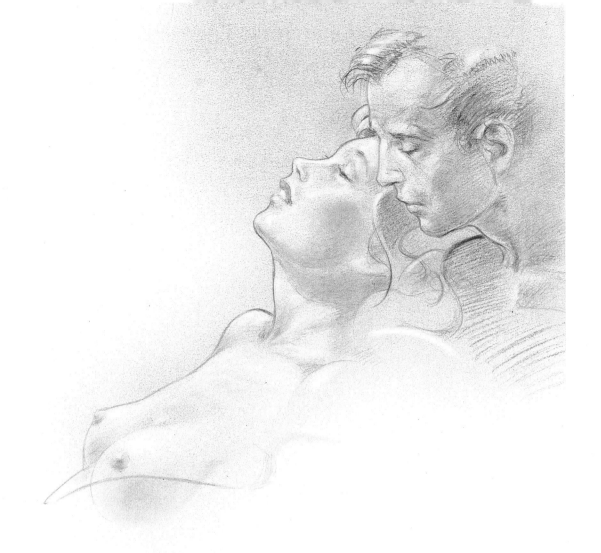

se transmettent que par un contact très intime, et par l'acte sexuel.

— Comment sait-on si l'on a une de ces maladies ?

— Elles peuvent se manifester par des brûlures en urinant, un écoulement, ou un bouton placé près des organes génitaux. Au moindre doute, on va voir un médecin.

— On ne peut plus faire l'amour ?

— Mais si. La médecine a fait de gros progrès depuis ces dernières années : les M.S.T. se soignent facilement dès que le médecin en fait le diagnostic. Il y a d'ailleurs une façon de se préserver de ces maladies : l'homme porte un préservatif et il observe les règles d'hygiène élémentaires, c'est-à-dire qu'il se lave soigneusement à l'eau pure et au savon, après chaque rapport sexuel. Tu es rassuré sur l'avenir ?

Michel a souri... Il a encore tant d'informations à demander !

Irène est revenue de classe, en coup de vent. Elle a trouvé son frère et papa en tête-à-tête.

— Je vous dérange ? Dites, c'est tellement important d'avoir ou de ne pas avoir de la poitrine ?

Interloqués, papa et Michel ont ri.

— Ne riez pas ! Dans ma classe, il y a une fille qui se lamente parce qu'elle a déjà de gros seins... Elle aurait voulu garder une poitrine de garçon ! Et puis j'ai d'autres camarades qui veulent faire des exercices pour développer leurs seins. Aucune n'est contente !

— Il est rare que l'on accepte son corps, tel qu'il est, répond papa. La sensibilité des mamelons et le plaisir éprouvé à la caresse des seins n'ont rien à voir avec le volume de la poitrine ! C'est cela l'important !

— Quelle journée ! éclate Irène. Vous ne savez pas ? la mère d'une autre camarade est enceinte !

— Écoute, si tu as des questions sur la fécondation et la grossesse, il y a une spécialiste à la maison ! Maman...

La fécondation

Michel a passé un bras protecteur autour des épaules de sa petite sœur, il lui a fait un résumé sur la fécondation...

— C'est tout simple. Primo, les parents de Marie ont fait l'amour pour avoir ce bébé. Secundo, un spermatozoïde a fécondé un ovule. Tertio, un petit œuf s'est formé pour devenir fœtus. Pendant neuf mois, il s'est développé dans l'utérus de la mère.

30

Quand il a été trop gros, il a poussé en cherchant la sortie. Puis il est né. Tu as compris ? Ce résumé n'a pas satisfait Irène. Elle a exigé des dessins pour mieux comprendre, et maman lui a acheté un livre... Toutes deux l'ont feuilleté en le commentant et Michel, piqué au vif, a demandé l'autorisation d'être là « en observateur »...

— A la puberté, dit maman, cette glande, pas plus grosse qu'une cerise, adresse des signaux. L'hypophyse (c'est son nom) éveille les glandes de la reproduction : les ovaires chez la fille, les testicules chez le garçon.

Les ovaires et les testicules contiennent des graines, ce sont les ovules et les spermatozoïdes. Ces cellules femelles et ces cellules mâles sont chargées d'une tâche bien précise : la reproduction. Pour cela, il faut que les spermatozoïdes de l'homme voyagent à travers ses organes génitaux jusque dans ceux d'une femme...

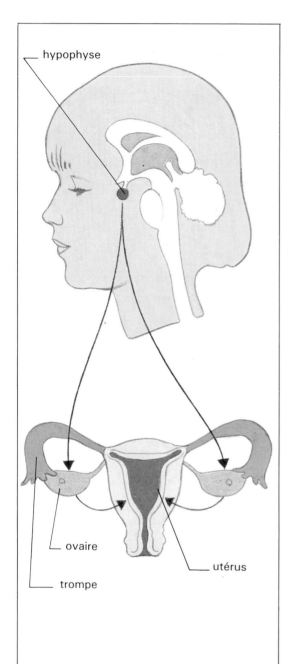

hypophyse

ovaire

trompe

utérus

L'hypophyse, petite glande située
à la base du cerveau, maintient
un contact étroit avec les ovaires grâce
à des messagers cliniques. Ces messagers
contrôlent les phénomènes de l'ovulation,
le mécanisme des règles et, en cas de
fécondation, celui de la grossesse.

Pendant l'acte sexuel, l'homme est en érection. Son pénis est alors gonflé par l'afflux de sang dans les tissus qui le constituent.

Les spermatozoïdes sont stockés dans les testicules avant de gagner le canal déférent pour parvenir dans les vésicules séminales placées derrière la prostate.

Là, les sécrétions des vésicules séminales se mélangent aux sécrétions de la prostate qui leur apportent des éléments nutritifs. Ce mélange est le sperme.

Pendant l'acte sexuel, une petite quantité de sperme sort brusquement du pénis en jets puissants. Cela s'appelle l'éjaculation. Les spermatozoïdes contenus dans le sperme traversent le vagin de la femme, puis l'utérus. La mystérieuse rencontre entre un spermatozoïde et un ovule se passera dans une trompe.

— L'ovule y attend toujours le spermatozoïde ? demande Irène, surprise. Ils ont vraiment rendez-vous ?

— Cela ne peut se produire qu'une fois chaque mois, et pendant quelques jours seulement. L'ovulation fait partie du cycle très précis qui régit les « règles ».

— Regarde, Irène. Voici l'un des deux ovaires que nous possédons (toi comme moi). Dessus, tu vois une petite boursouflure qui s'appelle le follicule. Chaque mois, ce follicule grossit et crève en laissant échapper une toute petite cellule, l'ovocyte. Le moment où cette cellule est libérée s'appelle

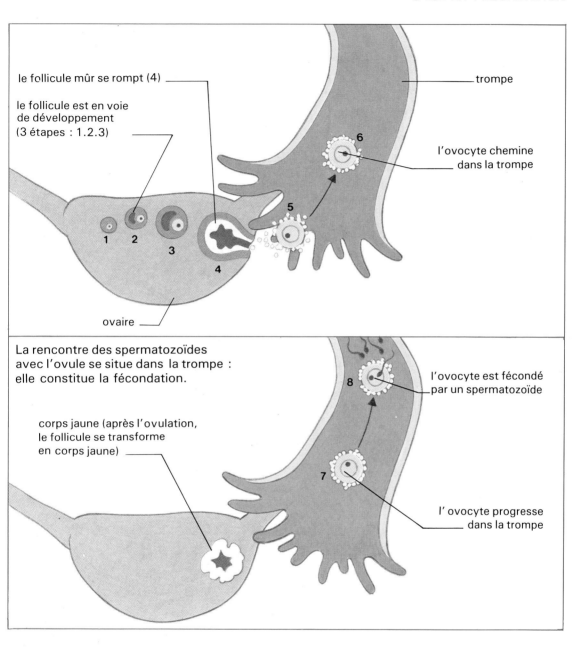

le follicule mûr se rompt (4)

le follicule est en voie
de développement
(3 étapes : 1.2.3)

trompe

l'ovocyte chemine
dans la trompe

1   2
3
4

ovaire

La rencontre des spermatozoïdes
avec l'ovule se situe dans la trompe :
elle constitue la fécondation.

l'ovocyte est fécondé
par un spermatozoïde

corps jaune (après l'ovulation,
le follicule se transforme
en corps jaune)

l' ovocyte progresse
dans la trompe

l'ovulation. L'ovocyte quittant l'ovaire pour aller se promener dans la trompe devient l'ovule. Il y flotte pendant quelques jours, se déplaçant très lentement... En revanche, les spermatozoïdes bougent très vite ! Ils ressemblent un peu à de minuscules têtards avec une petite queue, tu vois ?

— Et nous en arrivons à ce fameux rendez-vous ! poursuit maman.

L'ovule fécondé chemine pendant cinq jours environ à travers la trompe pour gagner l'utérus, but de son voyage...

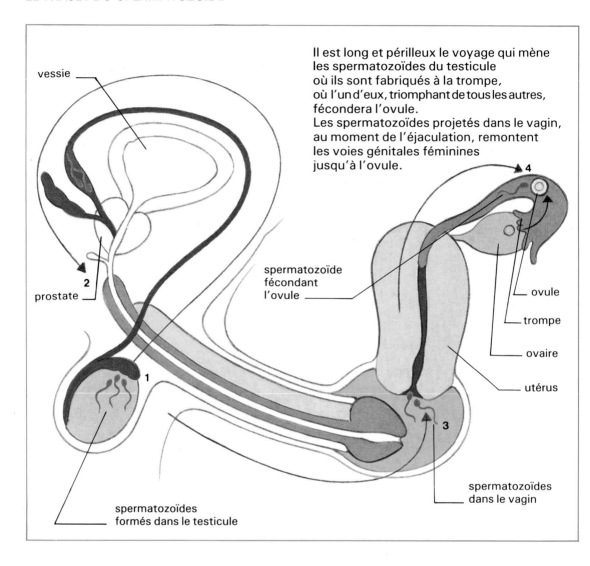

Il est long et périlleux le voyage qui mène les spermatozoïdes du testicule où ils sont fabriqués à la trompe, où l'un d'eux, triomphant de tous les autres, fécondera l'ovule.
Les spermatozoïdes projetés dans le vagin, au moment de l'éjaculation, remontent les voies génitales féminines jusqu'à l'ovule.

vessie

prostate

2

spermatozoïde fécondant l'ovule

ovule

trompe

ovaire

utérus

1

spermatozoïdes formés dans le testicule

3

spermatozoïdes dans le vagin

4

Pendant ces cinq jours, le follicule qui a libéré l'ovule fabrique un liquide : la progestérone. C'est une hormone qui va permettre à la muqueuse qui tapisse l'utérus de s'épaissir et de s'assouplir. L'utérus se prépare à accueillir l'œuf minuscule.

— L'œuf, c'est le début du bébé ? demande Irène. C'est bien lui qu'on appelle « embryon » ?

— Oui. L'embryon devient fœtus, puis bébé. La rencontre du spermatozoïde et de l'ovule a produit une nouvelle cellule vivante. D'un petit point, elle deviendra un enfant.

— Et qui décide si ce sera une fille ou un garçon ? L'ovule ou le spermatozoïde ?

— Le spermatozoïde, bien sûr ! s'écrie Michel.

— Tu as raison, mais sais-tu exactement pourquoi ? demande maman. Non ? Pour bien comprendre, regardez l'intérieur d'une cellule. Observez ces curieux bâtonnets,

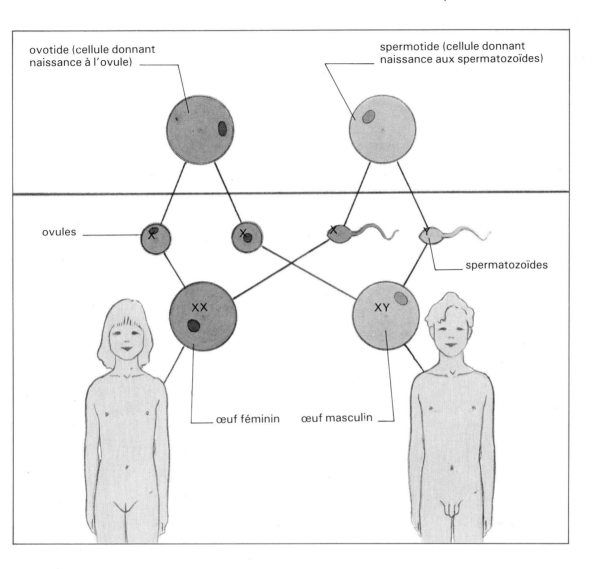

ovotide (cellule donnant naissance à l'ovule)

spermotide (cellule donnant naissance aux spermatozoïdes)

ovules

spermatozoïdes

XX

XY

œuf féminin   œuf masculin

dans le noyau. Ce sont les chromosomes. Il y en a 46 dans chaque cellule de notre corps, SAUF dans nos cellules sexuelles. L'ovule en contient 23, le spermatozoïde...

— 23 aussi ! crie Michel. Pour que l'œuf en ait 46 !

Maman éclate de rire :

— Tu es très fort en addition, Michel ! Sais-tu pourquoi les chromosomes féminins se nomment les chromosomes X ? Et non pas Z ?

— Oui maman, parce qu'ils ressemblent un peu à des X ! Et les nôtres s'appellent les chromosomes Y pour la même raison...

— Les vôtres ? Non, Michel. Les spermatozoïdes sont bien plus sournois ! Tantôt ils sont porteurs d'un chromosome X, tantôt ils sont porteurs d'un chromosome Y... C'est donc bien le spermatozoïde qui décide du sexe du fœtus : là, tu avais raison. La combinaison XX engendre une fille, et la combinaison XY, un garçon...

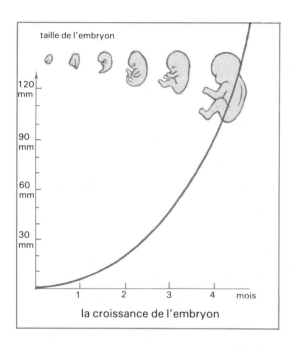

taille de l'embryon

120 mm

90 mm

60 mm

30 mm

1   2   3   4   mois

la croissance de l'embryon

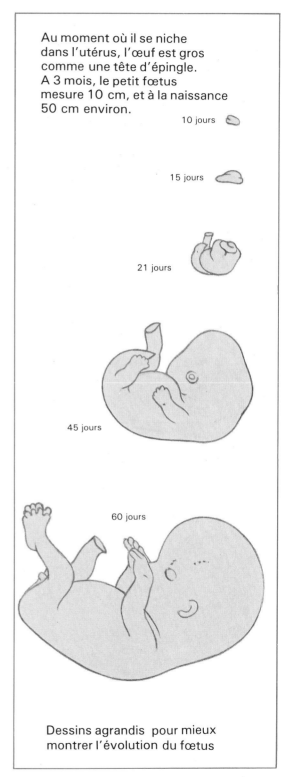

Au moment où il se niche dans l'utérus, l'œuf est gros comme une tête d'épingle. A 3 mois, le petit fœtus mesure 10 cm, et à la naissance 50 cm environ.

10 jours

15 jours

21 jours

45 jours

60 jours

Dessins agrandis pour mieux montrer l'évolution du fœtus

Le développement du fœtus et l'accouchement

Catherine continue « l'histoire de l'œuf » pour Irène et Michel.

— Où en étiez-vous restés ? leur demande-t-elle.

— Aux chromosomes !

— Bon. Le père et la mère ont donc chacun fait cadeau de 23 chromosomes qui sont notre patrimoine génétique. Ces 46 chromosomes forment une cellule, qui se divisera en deux, puis à nouveau en quatre, etc. Cette fantastique multiplication engendre l'embryon, gros comme une framboise. Quelques semaines plus tard, l'embryon devient fœtus. Les cellules, en se multipliant, se sont groupées pour esquisser une tête, des membres, des organes : tout ce qu'il faut pour que se développe un bébé...

— Comment va-t-il respirer ? dit Irène. Il y a de l'air dans l'utérus ?

Photos : Guigoz. Petit Format

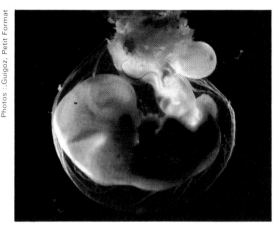

A la 3e semaine, l'embryon qui mesure
2 millimètres et demi, s'isole définitivement.

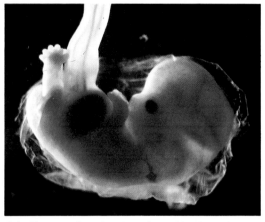

A la 7e semaine, la tête s'est développée,
les yeux et le conduit auditif sont bien visibles.
Il mesure 2 cm.

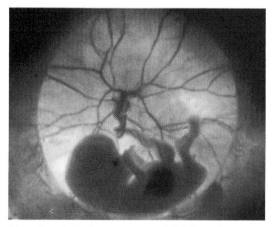

Vers 4 mois, le fœtus est tout à fait formé.
Il mesure 12 cm environ.

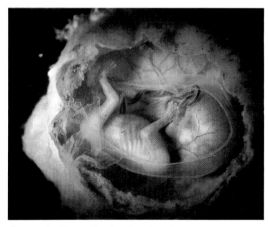

Avant le 5e mois, les bruits du cœur
sont bien perçus.

— Non. Le fœtus se nourrit et respire grâce au placenta et au cordon ombilical. Le placenta est une masse de chair qui se développe contre la paroi de l'utérus, et le cordon ombilical est relié à cette sorte de « garde-manger ».

A chaque battement de cœur, la mère envoie un flux de sang qui contient de l'oxygène et des substances nutritives jusque dans les muscles de l'utérus. Le placenta absorbe oxygène et aliments, il les filtre, et ne transmet au fœtus que ce dont il a besoin...

Le fœtus grossit et grandit tranquillement, attaché par le cordon ombilical au placenta, baignant dans le liquide amniotique qui remplit l'utérus.

— Comme dans une baignoire ?

— Oui, répond Michel, c'est son « pare-chocs » !

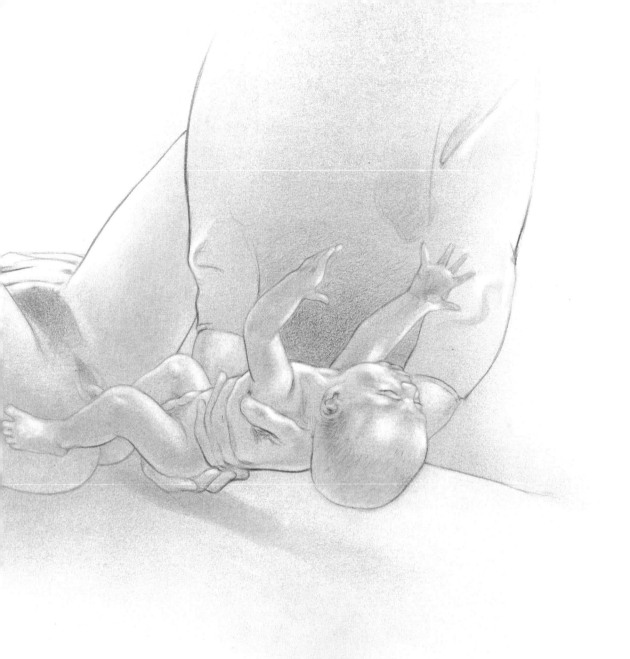

— Exactement. Seulement, au bout de neuf mois, le bébé se sent à l'étroit. L'utérus distendu ne peut s'étirer davantage et le bébé est gêné pour bouger. Il pousse alors contre le col de l'utérus, qui est en quelque sorte le verrou qui bloque l'ouverture du vagin et … l'accès au monde. L'accouchement est imminent. La mère part pour la maternité.

— Cela fait mal d'accoucher ? demande Irène.

— On ressent des douleurs, provoquées par les contractions des muscles utérins qui aident à l'expulsion du bébé. Aujourd'hui, les mamans s'y préparent. Elles apprennent à respirer d'une façon particulière pour contrôler ces douleurs. J'ai assisté à plusieurs accouchements, et je peux vous assurer que la joie de mettre un enfant au monde aide aussi considérablement la maman, pendant son accouchement.

L'allaitement.
Le lait maternel est un aliment
complet et équilibré qui protège le
nouveau-né contre certaines
maladies infectieuses. Mais
aujourd'hui, l'allaitement artificiel
au lait de vache modifié représente
une nécessité pour de nombreuses
femmes qui travaillent.

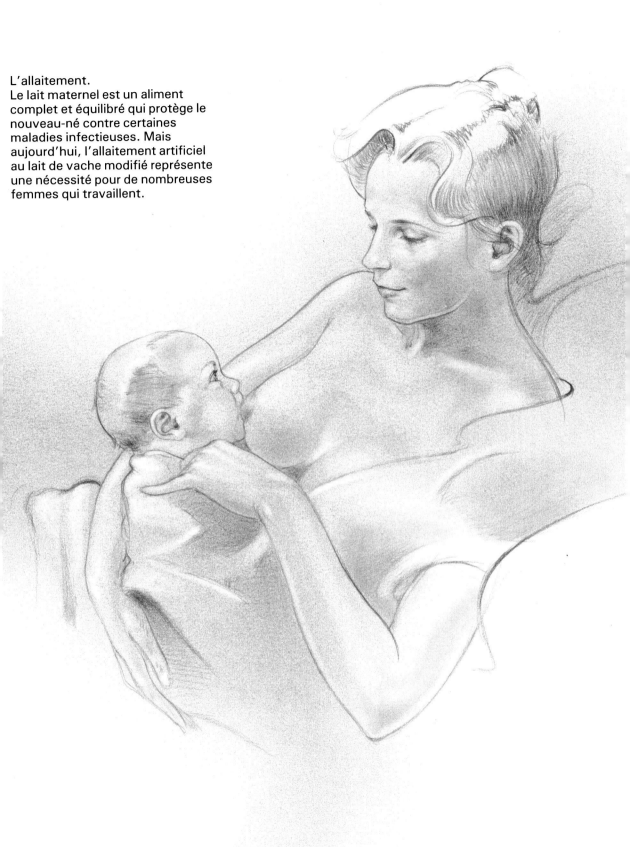

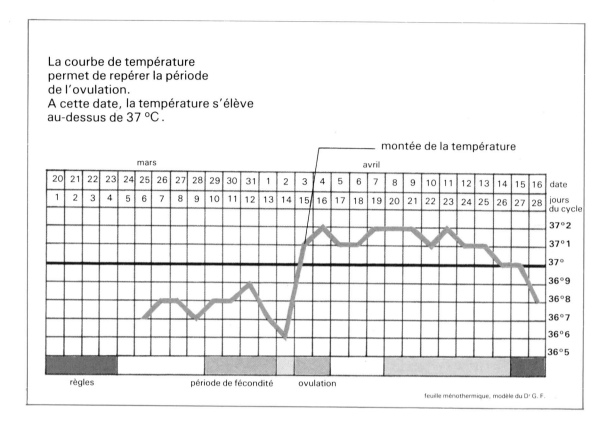

La courbe de température permet de repérer la période de l'ovulation. A cette date, la température s'élève au-dessus de 37 °C.

montée de la température

mars — avril

| date | 20 | 21 | 22 | 23 | 24 | 25 | 26 | 27 | 28 | 29 | 30 | 31 | 1 | 2 | 3 | 4 | 5 | 6 | 7 | 8 | 9 | 10 | 11 | 12 | 13 | 14 | 15 | 16 |

jours du cycle : 1 2 3 4 5 6 7 8 9 10 11 12 13 14 15 16 17 18 19 20 21 22 23 24 25 26 27 28

37°2 37°1 37° 36°9 36°8 36°7 36°6 36°5

règles — période de fécondité — ovulation

feuille ménothermique, modèle du Dr G. F.

— Pourquoi existe-t-il des jumeaux, des triplés ? dit Michel.

— Et même des sextuplés ! ajoute Irène. Ma camarade voudrait bien des jumeaux, un frère et une sœur en même temps ! On peut décider d'avoir des jumeaux ?

— Non. Cela arrive quand l'œuf, aussitôt fécondé, se divise en deux. Dans ce cas, deux fœtus se développeront et seront de vrais jumeaux.

— Il y en a des faux ? s'exclame Irène.

— Oui, quand, par hasard, il se trouve deux ovules en même temps dans une trompe, et que deux spermatozoïdes les rencontrent... Il y aura alors deux œufs bien distincts, et non un œuf qui se divise en deux. Les deux bébés se ressembleront beaucoup, mais pas comme « deux gouttes d'eau »...

Sur le sujet qui semble alimenter la plupart des récréations des filles, Irène demande encore une précision...

— Une femme enceinte n'a plus ses règles ?

— Elles reviendront après la naissance du bébé.

— Mais d'où vient ce sang qu'il faut perdre chaque mois ?

— S'il n'y a pas eu rencontre entre un ovule et un spermatozoïde, la muqueuse utérine, qui s'était préparée pour la nidation, s'élimine avec l'ovule non fécondé. C'est cela, le sang des règles. Et elles interviennent toujours treize jours au plus tard après l'ovulation.

Les vrais jumeaux, eux, sont
issus d'un seul ovule fécondé
par un seul spermatozoïde.
Cet œuf se divise en deux œufs
identiques, pour donner
naissance à des jumeaux,
toujours du même sexe,
d'une ressemblance
étonnante.

vrais
jumeaux

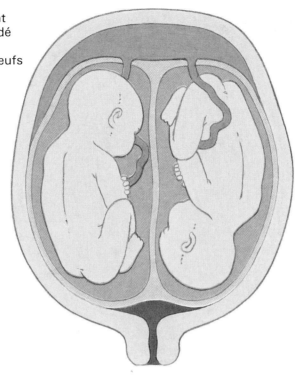

Les faux jumeaux sont
issus de 2 ovules
fécondés par
2 spermatozoïdes différents.
Ils ne se ressemblent pas
et peuvent être
de sexe opposé.

faux
jumeaux

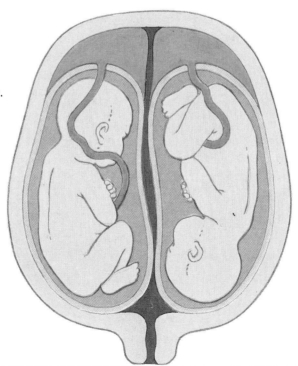

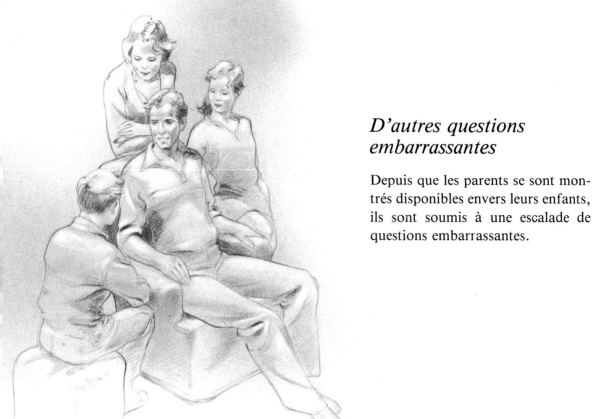

D'autres questions embarrassantes

Depuis que les parents se sont montrés disponibles envers leurs enfants, ils sont soumis à une escalade de questions embarrassantes.

Les questions d'Irène

Peut-on épouser son papa et avoir un enfant avec lui ?

— Oui. Mais toutes les morales du monde refusent et répriment ce type de rapport sexuel, que ce soit entre père et fille ou entre mère et fils. Cela s'appelle l'inceste.

— La sœur d'une camarade a un petit ami. Ils ont quatorze ans et voudraient se marier… C'est possible, ça ?

— En Europe, c'est à peu près impossible. Mais en Afrique, ou au Moyen-Orient, ce serait parfaitement admis. Dans certains pays, la puberté permet d'accéder au statut de femme et au mariage.

— Elles ont des enfants ?

— Bien sûr, elles peuvent avoir des enfants. Mais ce sont souvent les grands-mères qui les élèvent… Aujourd'hui, beaucoup de jeunes ont des rapports sexuels mais ils ne se sentent pas prêts pour autant à assumer des responsabilités maternelles ou paternelles. Ce sont des choses différentes.

Pourquoi les garçons et les hommes peuvent-ils lire des magazines où l'on voit des photos de femmes nues ? Pour s'exciter ? Pourquoi les filles ne peuvent-elles pas en faire autant ?

— Peut-être parce que l'on a cru longtemps que les femmes n'étaient pas capables d'être excitées par des lectures, des photographies, des films…

— C'est vrai ?

— Non. On sait aujourd'hui que c'est totalement faux.

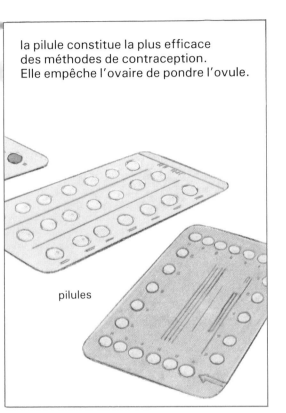

la pilule constitue la plus efficace des méthodes de contraception. Elle empêche l'ovaire de pondre l'ovule.

pilules

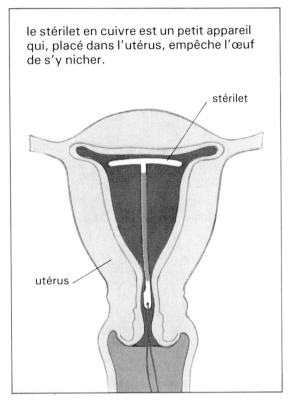

le stérilet en cuivre est un petit appareil qui, placé dans l'utérus, empêche l'œuf de s'y nicher.

stérilet

utérus

D'AUTRES MÉTHODES

La pilule est l'une des méthodes contraceptives : elle empêche l'ovulation. Il y en a d'autres.

Le diaphragme est un capuchon de caoutchouc, que la femme pose elle-même dans son vagin pour bloquer l'accès de l'utérus : il ferme le col de l'utérus. On préfère aujourd'hui introduire dans le vagin certaines crèmes qui détruisent les spermatozoïdes.

Le stérilet, lui, doit être mis en place par la ou le gynécologue. Il empêche l'œuf de se nider au niveau de la muqueuse utérine. On l'introduit dans l'utérus.

L'homme, le plus souvent, utilise un préservatif appelé capote anglaise, qui s'achète en pharmacie.

Dans certains pays à très forte démographie (en Inde par exemple), les hommes peuvent se faire stériliser. L'État les y encourage. Cette opération consiste à ligaturer les canaux déférents. On la croyait définitive, mais, aujourd'hui, des interventions sous microscope ont réussi à rétablir la continuité du canal déférent ; ainsi ces hommes peuvent-ils, s'ils le désirent, avoir à nouveau des enfants.

Le coït — autre mot pour désigner l'accouplement du mâle et de la femelle — peut également être interrompu : l'homme retire son pénis juste avant l'éjaculation. Cette méthode, dite du coït interrompu, nécessite, de la part de l'homme, une maîtrise totale de son fonctionnement sexuel.

Qu'est-ce que la prostitution ?

— Elle existe depuis la plus haute Antiquité, soit interdite, soit autorisée par les pouvoirs publics. Quand on doit payer les charmes sexuels, la relation est dépourvue de tendresse et de toute signification.

Est-ce que la puberté, c'est la même chose chez les garçons et chez les filles ?

— La croissance des garçons commence plus tard. Les seins des garçons ne se développent pas, encore que parfois ils présentent une petite tuméfaction sans danger, qui régresse ensuite. Ce sont leurs épaules et non leurs hanches qui s'élargissent. Leurs organes génitaux fabriquent des spermatozoïdes et augmentent de volume. Leur voix devient plus grave et ils commencent à avoir un peu de moustache et de barbe. Des poils apparaissent sur les bras, les jambes, la poitrine parfois, et autour du pénis.

Est-ce qu'une petite fille qui n'a pas atteint la puberté peut commencer à prendre la pilule ?

— Non, Irène. N'étant pas pubère, il y a très peu de risque pour que la petite fille puisse avoir une ovulation.

— Et les hommes ? Ils prennent aussi la pilule ?

— La pilule pour les hommes est encore à l'étude. Il en existe, mais elles ne sont pas au point.

DES MÉTHODES DE CONTRACEPTION

Si j'avais mes règles demain, dit Irène, est-ce que je serais obligée de porter une serviette hygiénique ? Je préférerais un tampon, mais j'ai peur que cela me fasse mal en le mettant...

— Je t'apprendrai à le mettre et je t'achèterai des petits tampons, ceux qui sont faits pour les petites filles.

— J'ai une camarade qui parle de l'*ivégé* et je ne sais pas ce que cela veut dire. Tu le sais, toi ?

Oui, ce sont des initiales : I.V.G. Elles signifient : interruption volontaire de grossesse. Autrefois on employait le mot « avortement ». Dans de nombreux pays, la loi permet à une femme qui se découvre enceinte et qui ne désire pas d'enfant de se faire opérer, deux mois après la fécondation.

Les questions de Michel

Un jour, Michel revient du cinéma, tout pâle. Son père le suit dans sa chambre pour lui parler. Michel commence à nier son trouble, puis lui raconte son expérience de la « drague » avec Paul...

Paul repère une fille devant un cinéma. Il bavarde un peu, puis entre avec elle et s'assied à ses côtés. Dès que la lumière s'éteint, il la prend par les épaules, et tente ensuite de l'embrasser, de la toucher. La fille est souvent consentante, dit Paul.

Aujourd'hui, Michel a été mis au défi d'en faire autant... Mort de honte, il s'est sauvé au milieu du film.

— Tu n'as pas pu imiter ton copain Paul, c'est cela ?

— Oui. Il va me traiter de minable...

— Ne t'en préoccupe pas. Tu as le droit d'être timide et de ne pas aimer la « drague » obligatoire comme la comprend Paul.

— Tu ne comprends pas, insiste Michel. J'ai peur d'être... anormal... ou malade ?

— Tu as peur que Paul te traite aussi d'homosexuel ?

— C'est un peu ça...

— Est-ce que l'on peut reconnaître les homosexuels ?

— Ceux qui sont efféminés, oui. Mais le plus souvent, aucun caractère extérieur ne peut différencier un homosexuel d'un hétérosexuel. Beaucoup de garçons et de filles ont des contacts homosexuels, jusqu'à leur adolescence. Ces explorations mutuelles satisfont une certaine forme de curiosité. Une personne est homosexuelle quand elle a — plus tard — des relations sexuelles uniquement avec une personne de son propre sexe.

Aujourd'hui, on sait d'ailleurs que l'homosexualité n'est pas une maladie.

— Et le fait d'avoir des organes petits n'est pas un signe ?

— Absolument pas. De même, si un garçon présente une « gynécomastie », c'est-à-dire s'il a des seins un peu développés, cela n'est pas un « signe », comme tu le crois.

— Est-ce qu'un garçon peut être violé, comme une fille ?

— Oui, si c'est encore un enfant. A ton âge, on commence à pouvoir se défendre.

Michel commence à comprendre que la pulsion sexuelle est parfois liée à la violence. Certains faits divers l'indignent et le blessent. Il a peur pour Irène.

— Il y a encore eu une petite fille de ton âge qui a suivi un inconnu, et il l'a violée !

— Il l'a battue ?

— Il lui a fait l'amour de force ! Explique-lui, Catherine ; moi, elle ne m'écoute pas...

— Irène, il y a des hommes qui sont incapables de résister à leurs envies sexuelles et le viol n'épargne personne. Ces hommes se servent des personnes comme d' « objets » sexuels... C'est une agression terrible et les enfants comme toi doivent apprendre à dire non, pas seulement aux inconnus, mais aussi à des voisins, à des proches.

— Et ceux qui violent, on les poursuit ?

— On les arrête, on les juge, on les condamne. On tente aussi de les soigner, ajoute Catherine.

— Ils ressemblent à qui ?

— Ils ressemblent à tout le monde ! Ce sont des hommes aimables, parfois mariés ; certains ont eux-mêmes des enfants...

Irène et Michel ont réfléchi en silence pendant un petit moment, puis Irène a promis solennellement de se méfier des hommes très gentils qui rôdent à la sortie des écoles, et qui proposent aux petites filles de les raccompagner à la maison...

— Pourquoi dis-tu cela ?

— Parce que j'en ai vu un, une fois... Il avait un manteau, il l'a ouvert et j'ai vu...

— Il t'a montré son sexe ? Le salaud ! dit Michel, furieux.

— Ce n'était pas un violeur, seulement un exhibitionniste, explique Catherine. Ils sont rarement dangereux. Et qu'as-tu fait, Irène ?

— Je lui ai tourné le dos et je suis partie en courant !

— C'est exactement ce qu'il fallait faire.

Irène est soulagée d'avoir pu parler de cet incident. Longtemps elle avait pensé à cet homme, sans parvenir à comprendre son geste.

Plus tard, Catherine et ses parents ont encore souligné que la sexualité n'est pas tout, mais fait partie d'un tout. Le besoin d'amour est sûrement le sentiment le mieux partagé, dans ce monde...

— Pour aimer, a répété maman, la fille comme le garçon doivent savoir très tôt que leur corps leur appartient. La fonction sexuelle ne doit pas être un continent mystérieux... Le plus important sera pour eux de respecter leur corps, leur vie sexuelle et leur plaisir.

— Le plaisir ? C'est la jouissance ? demande Michel. Et la jouissance, c'est l'orgasme ?

— C'est très difficile d'expliquer ce qu'est la jouissance, tant qu'on ne l'a pas ressentie, dit Catherine. Le plaisir, ce peut être contempler un corps étranger, respirer son odeur, le goûter en l'embrassant, ou trembler d'émotion quand on le caresse. Intellectuellement, il y a aussi le plaisir lié à la découverte de l'autre : ses préférences, ses goûts artistiques, sa culture, sa passion pour un métier, mais aussi sa façon de marcher, de manger, de se laver, de rire ! Tout est source de plaisir quand on est amoureux... Imaginons que l'amour soit un système solaire, dans lequel les planètes seraient nos sens. La jouissance, ou l'orgasme (c'est la même chose) serait alors une sorte de comète qui traverserait ce système avec soudaineté et violence.

Pendant l'acte sexuel, l'orgasme est le plus haut point de jouissance ; chez le garçon, il apparaît au moment de l'éjaculation. Chez la fille, l'orgasme est moins spectaculaire..., dit Catherine avec un sourire, mais il dure plus longtemps, et surtout la fille peut avoir plusieurs orgasmes en un temps très court ; pas le garçon...

— L'orgasme n'est pas le but exclusif de l'amour, a dit maman. C'est une sensation de plus, quand l'amour se fait dans des conditions de confiance et d'abandon.

La famille s'était presque tout dit.
Si des questions étaient restées informulées, les enfants avaient toute une vie devant eux pour y apporter leurs propres réponses.
Ils pouvaient continuer d'exprimer leurs émotions en toute sincérité à leurs parents.
C'était là l'essentiel de cette « aventure ».
Chaque famille, mais aussi chaque peuple, chaque société, possède son système de valeurs morales qu'il convient de respecter.
La tolérance est la vertu la plus nécessaire dans le domaine de la sexualité...
Elle permet d'accepter le comportement de l'autre et nous conduit à mieux satisfaire nos propres besoins de tendresse, d'amour, de plaisir sexuel.

N° d'éditeur 10003540
Imprimé en Italie par G. Canale & C. S.p.A. - Borgaro T.se - Turin